Je dessine je peins

la gouache

Texte de Isidro Sánchez
Dessins de Vicenç Ballestar
Illustrations de Jordi Sábat
Adaptation française d'Étienne Léthel

Gründ

La gouache...

Apprendre à peindre à la gouache

Vous avez déjà très certainement réaliser de nombreuses œuvres à la gouache, puisqu'on utilise beaucoup cette technique à l'école. Ce livre vous permettra de découvrir les multiples possibilités de la gouache et d'apprendre également à connaître et à utiliser correctement le matériel. Grâce aux exercices proposés, de difficulté croissante, vous pourrez mettre en pratique tout ce que vous aurez appris.

Pour obtenir d'excellents résultats, comme le paysage illustré ci-contre, il vous suffira de quelques couleurs à la gouache – en pot ou en tube –, de pinceaux et de divers accessoires.

Les couleurs à la gouache

La gouache est une technique de peinture dont les couleurs se diluent à l'eau, comme pour l'aquarelle. Ces deux techniques présentent néanmoins d'importantes différences. Les couleurs à l'aquarelle sont peu épaisses et transparentes alors que les couleurs à la gouache sont épaisses et opaques.

Ainsi, les principales caractéristiques de la gouache sont les suivantes :
– les couleurs sont couvrantes. Toute couleur, aussi claire soit-elle, appliquée sur une autre couleur plus foncée, la recouvre ;

– contrairement à l'aquarelle, il n'est pas nécessaire d'appliquer d'abord les couleurs claires, puis ensuite les couleurs foncées ; on applique généralement d'abord les tons foncés, puis les tons moyens et enfin les tons clairs ;
– alors que la couleur blanche à l'aquarelle n'existe pas – elle est fournie par le blanc du papier – on l'utilise pour la gouache.

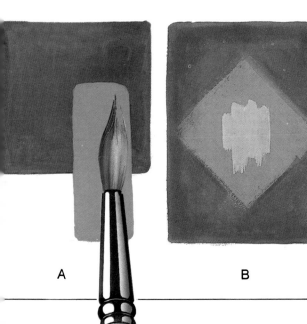

PRINCIPALES CARACTÉRISTIQUES DE LA GOUACHE

A. Il s'agit de couleurs couvrantes ; ainsi peut-on peindre des couleurs claires sur des couleurs foncées.
B. On peut appliquer d'abord un ton foncé, puis ajouter un ton moyen et enfin un ton clair.
C. Le blanc s'applique sur n'importe quelle couleur.

A   B   C

Le matériel...

Une première approche

Les couleurs pour la gouache sont vendues en petits godets, en tubes et en pots.

Les godets : ils existent en boîtes de 7 à 14 couleurs. Ils peuvent être carrés ou ronds et de tailles variées.

La qualité des couleurs ressemble beaucoup à celle de l'aquarelle en godets. En diluant la couleur avec beaucoup d'eau, vous obtiendrez une transparence comparable à celle de l'aquarelle ; avec très peu d'eau, vous obtiendrez une couleur plus couvrante, mais pas autant cependant qu'avec la gouache en tube ou en pot.

Les tubes : ils existent en trois tailles : petite, moyenne et grande ; on peut les acheter un par un ou en boîte. Les couleurs en tubes sont très couvrantes.

Les pots : nous vous recommandons ce type de présentation. Il existe des pots de grande taille et de petite taille. Pour les couleurs qui s'emploient beaucoup, comme le blanc, nous vous recommandons d'acquérir de grands pots.

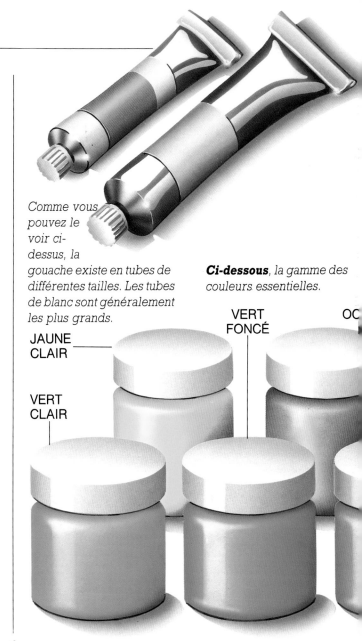

Comme vous pouvez le voir ci-dessus, la gouache existe en tubes de différentes tailles. Les tubes de blanc sont généralement les plus grands.

Ci-dessous, *la gamme des couleurs essentielles.*

JAUNE CLAIR

VERT CLAIR

VERT FONCÉ

OC

Comment utiliser et conserver vos couleurs ?

Les godets : si vous employez de la gouache en godets, vous pouvez mélanger les couleurs sur le couvercle de la boîte. Si vous utilisez cette méthode, fort pratique, il vous faudra cependant nettoyer le couvercle à chaque nouveau mélange et, bien entendu, avant de ranger la boîte, lorsque vous aurez fini de peindre.

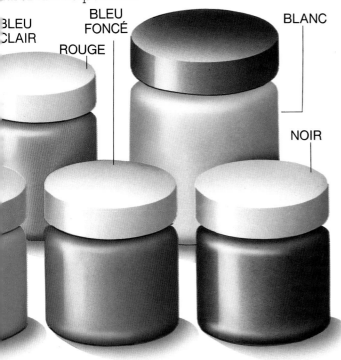

BLEU CLAIR

ROUGE

BLEU FONCÉ

BLANC

NOIR

Les tubes : la meilleure façon de faire sortir la couleur du tube est de le presser à son extrémité, puis de l'enrouler au fur et à mesure que vous utilisez la couleur.

Il faut reboucher le tube immédiatement après usage.

Ne prenez pas la couleur à même le tube. Déposez la gouache dans une petite coupe. Vérifiez qu'il ne reste pas de peinture à l'intérieur du capuchon, car une fois la couleur sèche, le capuchon resterait collé au tube.

Les pots : n'employez pas directement la peinture du pot. Humidifiez le pinceau et réalisez vos mélanges dans un récipient.

*À droite,
une boîte
de gouache
en godets. Vous
pouvez mélanger
les couleurs sur
le couvercle de la boîte.*

Le matériel...

Les différents types de pinceaux

On distingue des pinceaux à poils souples et à poils durs ; les meilleurs pinceaux à poils souples sont ceux en poils de martre:

Quels pinceaux choisir ?

On trouve différentes tailles, qui s'identifient facilement grâce au numéro inscrit sur le manche.

Pour l'instant, deux ou trois pinceaux ronds vous suffiront : un numéro 12, un numéro 6 et un numéro 4.

Comment entretenir vos pinceaux ?

Ne laissez jamais sécher la couleur sur le pinceau. Lorsque vous aurez fini de peindre, nettoyez le pinceau à l'eau et au savon et laissez-le sécher dans un pot la tête en haut.

Ne laissez pas les pinceaux à tremper dans l'eau.

On distingue, selon la forme des poils, des pinceaux ronds et des pinceaux plats.

PINCEAU PLAT **PINCEAU ROND**

Les pinceaux recommandés : un numéro 12, un numéro 6 et un numéro 4.

NUMÉRO 12

NUMÉRO 6

NUMÉRO 4

Quel papier choisir ?

Le papier se présente sous différentes formes :
- en feuilles volantes. Il existe des feuilles de différentes tailles, la plus employée étant de 50 × 70 cm. Vous pourrez d'ailleurs, si nécessaire, la découper en feuilles plus petites ;
- en albums à spirales. Il s'agit également de papier en feuilles, mais qui ne gondole pas car monté sur un support rigide ;
- en bloc. Il peut s'agir d'un bloc de feuilles volantes ou de feuilles pré-encollées. Nous vous recommandons le papier en bloc : vous utiliserez des feuilles volantes – au grain suffisant – si vous appliquez une couleur épaisse, ou des feuilles pré-encollées – pour éviter que le papier ne gondole – si vous appliquez une couleur très diluée.

Vous pouvez acheter du papier en feuilles ou en bloc. Celui-ci comporte des feuilles volantes ou des feuilles encollées.

Comment peindre...

Technique de base

Vous pourrez, grâce aux premiers exercices, vous entraîner à prendre la couleur et à l'appliquer sur le support.

Si vous utilisez de la gouache en godets, mouillez le pinceau dans l'un des deux récipients, puis prenez ensuite la couleur.

Si vous utilisez de la peinture en tube, déposez la couleur dans une coupe ou sur la palette, mouillez le pinceau, puis prenez la couleur.

En travaillant avec un tube ou un pot, le pinceau doit être bien « chargé », sans cependant goutter.

Ainsi, avant d'appliquer la couleur sur le support, frottez le pinceau sur le bord de la coupe pour retirer l'excès de peinture.

A

Si vous utilisez des godets, mouillez le pinceau (A), puis prenez ensuite la couleur (B).

Si vous employez des tubes, déposez la couleur dans une coupe (A), prenez la couleur avec un pinceau humide (B) et retirez l'excès de peinture (C).

A

B

C

On peut obtenir des tons clairs ou foncés d'une même couleur en ajoutant plus ou moins d'eau.

Gouache ou aquarelle ?

La couleur en godet, surtout lorsqu'elle est bien diluée, permet d'utiliser une technique qui ressemble beaucoup à celle de l'aquarelle.

En « allongeant » la couleur avec de l'eau, vous obtiendrez un ton très clair. Avec moins d'eau, le ton sera plus foncé.

La « véritable » gouache

Cependant, la « véritable » gouache s'applique épaisse. L'eau ne sert alors qu'à donner plus ou moins d'épaisseur à la couche de peinture.

Comment donc éclaircir ou foncer un ton ? En ajoutant à la couleur plus ou moins de blanc. Et, bien entendu, en ajoutant une couleur plus claire, pour éclaircir, ou une couleur plus foncée, pour foncer...

On peut également, pour éclaircir ou foncer un ton, ajouter plus ou moins de blanc.

AVEC BEAUCOUP D'EAU   AVEC MOINS D'EAU

AVEC PEU DE BLANC

AVEC DAVANTAGE DE BLANC

AVEC BEAUCOUP DE BLANC

Comment peindre...

Comment peindre un fond uni

Appliquez d'abord la peinture dans une seule et même direction.

Sans attendre que ce premier fond sèche, appliquez une nouvelle couche de la même couleur, mais cette fois dans une autre direction.

Avant de mettre cette technique en pratique, voici quelques conseils importants :

– lorsque la couleur est humide, faites un essai su un morceau de papier pour en vérifier le ton ;
– agissez vite car sinon la gouache risque de sé cher. Pour cette raison, l'exercice proposé doit êtr fait rapidement, de façon à travailler constammen avec une gouache humide.

Pour peindre un fond uni, appliquez d'abord la gouache dans une seule direction. Puis ajoutez une nouvelle couche de couleur, cette fois dans une autre direction. Travaillez rapidement, avant que ne sèche la première couche.

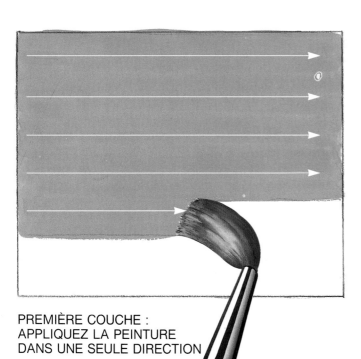

PREMIÈRE COUCHE :
APPLIQUEZ LA PEINTURE
DANS UNE SEULE DIRECTION

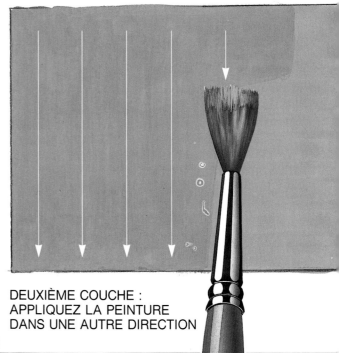

DEUXIÈME COUCHE :
APPLIQUEZ LA PEINTURE
DANS UNE AUTRE DIRECTION

Comment superposer des tons

Lorsque l'on travaille avec de la gouache, il est d'usage d'appliquer d'abord les tons foncés, puis les tons moyens, et enfin les tons clairs.

Quoi qu'il en soit, n'oubliez pas que pour appliquer une couleur sur une autre – qu'elle soit claire ou foncée –, il faut attendre que la première soit sèche. À moins que vous ne souhaitiez précisément les mélanger.

Comme vous pouvez le voir ci-dessous à gauche, la gouache est une peinture couvrante. Commencez donc par appliquer une couleur foncée (A), puis appliquez une couleur claire (B), qui recouvrira parfaitement la première couleur. Vous devez cependant attendre que cette première couleur soit sèche.

La gouache permet également de mélanger les couleurs sur un même support, ici le papier, comme le montrent les illustrations ci-dessous. Il faut alors appliquer la seconde couleur avant que la première ne soit sèche et mélanger les deux couleurs en frottant à l'aide du pinceau.

A   B

COULEUR SUFFISAMMENT DILUÉE

AUTRE COULEUR PLUS SÈCHE

Comment peindre...

Comment peindre un dégradé

Humidifiez la couleur choisie pour cet exercice et peignez une bande horizontale.

Ajoutez un peu de blanc dans une coupe et peignez une nouvelle bande juste sous la première.

Ajoutez à nouveau du blanc et peignez une autre bande... et continuez ainsi de suite jusqu'à ce que vous obteniez une couleur presque totalement blanche. Mais attention : n'oubliez pas qu'il faut que vous travailliez le plus rapidement possible, afin que la peinture n'ait pas le temps de sécher.

Lorsque toutes les bandes ont été peintes et que la gouache est encore humide, mouillez très légèrement le pinceau et passez-le sur les « raccords » entre les bandes pour obtenir un dégradé uniforme.

DÉGRADÉ AU BLANC

A. Peignez une bande avec une couleur plus ou moins humide. B. Peignez des bandes successives en ajoutant à chaque fois davantage de blanc.
C. Avant que la gouache ne soit sèche, unissez et nuancez les bandes à l'aide d'un pinceau presque sec.

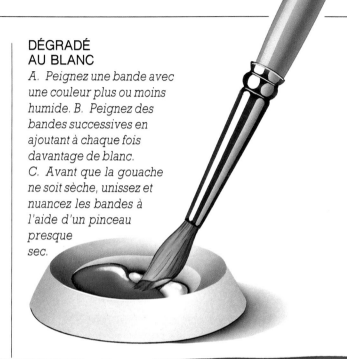

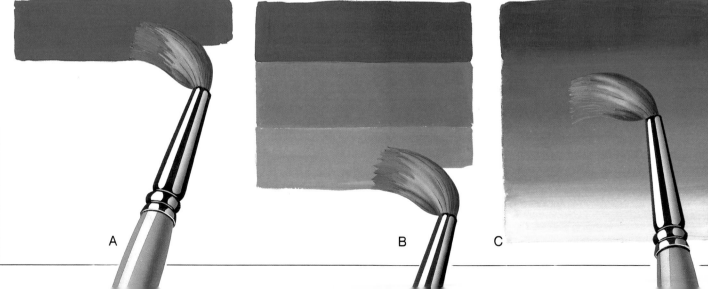

A

B

C

ne autre technique

oici maintenant une autre manière de faire un
égradé. Humidifiez très légèrement une couleur –
ar exemple du bleu clair – de sorte que la gouache
oit la plus épaisse possible.

Recouvrez toute la surface à dégrader, sauf une
xtrémité.

Humidifiez ensuite le bleu foncé et peignez l'ex-
émité laissée libre.

Unissez les deux couleurs en ajoutant l'une ou
autre de façon à obtenir un dégradé uniforme.

omment corriger

est très difficile de corriger la gouache. La couleur
modifier doit être totalement sèche. En outre, il est
éférable de repeindre une zone importante – par
emple un fond – plutôt que d'essayer de corriger
e petite surface.

Enfin, en appliquant une couleur sur une surface
jà peinte, il est conseillé de travailler en sens
verse de la couche précédente.

ur corriger une erreur,
angez entièrement la
uleur et travaillez en sens
verse. Attendez bien sûr

que la couleur que vous
souhaitez modifier soit
sèche.

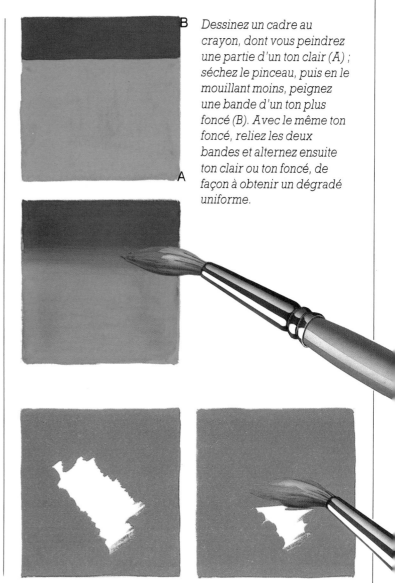

*Dessinez un cadre au
crayon, dont vous peindrez
une partie d'un ton clair (A) ;
séchez le pinceau, puis en le
mouillant moins, peignez
une bande d'un ton plus
foncé (B). Avec le même ton
foncé, reliez les deux
bandes et alternez ensuite
ton clair ou ton foncé, de
façon à obtenir un dégradé
uniforme.*

La couleur

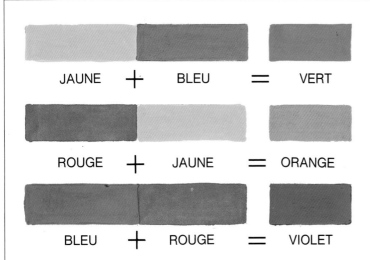

JAUNE + BLEU = VERT

ROUGE + JAUNE = ORANGE

BLEU + ROUGE = VIOLET

Ces couleurs dites primaires – le bleu, jaune et rouge – permettent d'obtenir les

couleurs secondaires : vert, orange et violet.

Les couleurs primaires

Une boîte, des tubes ou des pots vous offrent un choix de couleurs plus ou moins important.

Cependant, toutes ces couleurs peuvent être obtenues en mélangeant seulement trois d'entre elles : ces trois couleurs sont les couleurs primaires.

À partir des couleurs primaires – bleu, jaune et rouge – on obtient les couleurs secondaires : vert, orange et violet.

En mélangeant les couleurs secondaires, vous obtiendrez les couleurs tertiaires : le vert-jaune, le

Entraînez-vous à m les couleurs, en vo inspirant des exem ci-contre.

bleu-vert, le bleu-violet, le pourpre, le rouge orangé et le jaune-orangé.

Selon les proportions de chaque couleur dans l mélange, on obtient des couleurs intermédiaires ainsi, avec beaucoup de jaune et un peu de rouge une couleur « citrouille » ; avec un peu de jaune e beaucoup de magenta : du vermillon...

Entraînez-vous le plus possible à mélanger le couleurs.

Consacrez, si nécessaire, une boîte de tubes pou vos essais. Vous pouvez être sûr que vous n perdrez pas votre temps.

La roue des couleurs

Les trois couleurs primaires (P), les trois couleurs secondaires (S) et les six couleurs tertiaires forment un cercle chromatique. Des flèches relient les couleurs par paires.
Ces couleurs sont dites

complémentaires. La connaissance des couleurs complémentaires permet d'obtenir des contrastes très intenses, du type rouge/vert, bleu/orange ou jaune/violet.

Les gammes de couleurs

Les couleurs sont harmonisées lorsqu'aucune ne détonne dans l'ensemble de la composition.

L'harmonisation des couleurs peut s'obtenir en employant une gamme de couleurs froides ou une gamme de couleurs chaudes.

EXEMPLES
DE COULEURS
FROIDES

EXEMPLES
DE COULEURS
CHAUDES

Mes premiers exercices...

D'un geste souple, esquissez les contours de la fleur en suivant le modèle.

Cet exercice ne comporte aucun mélange. Appliquez une première couche de couleur.

Dessinez d'abord un cercle, puis ajoutez les détails en suivant le modèle.

Peignez d'abord la nacelle et les bandes qui sont de la même couleur ; ne dépassez pas les lignes au crayon.

Utilisez maintenant le pinceau fin pour peindre la tige et les feuilles.

Finissez de peindre l'ensemble, laissez sécher et ajoutez des tons plus foncés sans les mélanger.

Peignez à présent les bandes qui sont de couleur distincte et modifiez le ton de la nacelle.

Une fois la gouache sèche, appliquez les tons plus foncés, à l'aide d'un pinceau plus sec.

Vous allez maintenant réaliser un dégradé. Dessinez les contours de la pêche.

Humidifiez le pinceau, chargez-le de couleur et peignez un fond très dilué.

Le dessin de cet oiseau n'est pas difficile, mais il vous faut, avant de commencer, dessiner tous les détails.

Appliquez une première couche de couleur sur les zones d'ombre.

Puis peignez avec une couleur plus épaisse pour obtenir les tons foncés.

Avant que la couleur ne sèche, réalisez le dégradé avec la couleur la plus claire.

Ajoutez du blanc à chaque couleur et peignez les tons plus clairs.

À présent, contrastez les différents tons. Employez une couleur plus épaisse pour les ombres.

Mes premiers exercices...

Voici maintenant un exercice un peu plus difficile, qui vous permettra également de pratiquer l'estompage. Dessinez l'arbre.

Appliquez une première couche de vert clair au feuillage. Puis ajoutez un peu de blanc au vert pour l'éclaircir et peignez l'herbe.

Avec du vert clair et du blanc, nuancez toute la partie supérieure du feuillage, de sorte que les deux couleurs se fondent ensemble. Peignez également le tronc.

Travaillez rapidement, avant que la couleur ne sèche. Procédez ensuite de même pour le tronc et pour l'herbe, en ajoutant davantage de blanc.

squissez les contours du dessin en suivant le modèle.

Apposez les premières touches de couleur sur les cactus, en commençant par les tons plus clairs. Veillez à ne pas dépasser les lignes au crayon.

eignez l'ensemble de la jardinière et une fois la couleur eche, indiquez la ligne plus foncée ; appliquez quelques ches de couleurs sur les marguerites et continuez à peindre s cactus.

Travaillez à présent avec le blanc et le vert foncé. À l'aide d'un pinceau fin, peignez les marguerites et quelques traits foncés sur les cactus.

23

Mes premiers exercices...

Esquissez le dessin. Outre les contours de la tête du tigre, dessinez également ses rayures et ses différentes caractéristiques.

Peignez un fond, en réservant les yeux, les oreilles et quelques zones du contour. Travaillez par touches légères.

Éclaircissez la couleur avec du blanc, puis faites en sorte qu'elle se fonde à la couleur précédemment appliquée.

Il s'agit maintenant d'introduire des contrastes, en indiquant les rayures et en renforçant les zones d'ombre.

vec un crayon tendre, dessinez les contours de l'oiseau et de
branche.

Humidifiez légèrement le pinceau et peignez les plumes avec
une couleur presque sèche. Procédez de même pour la
branche à l'aide d'un pinceau fin.

présent, ajoutez des couleurs claires sur la tête, le poitrail,
s pattes et la queue de l'oiseau et des tons distincts sur les
uilles.

Nuancez les tons foncés, en y ajoutant un peu de blanc ;
estompez les couleurs en passant le pinceau plusieurs fois au
même endroit.

Mes premiers exercices...

Dessinez non seulement le contour des formes, mais aussi tous les détails.

Votre premier exercice consistera à peindre une marine, terme employé pour les représentations de la mer.

   Le dessin doit être aussi complet que possible.

Ainsi, ne dessinez pas seulement le contour de barque, mais également les détails de l'intérieur, ligne d'horizon et les ombres de la barque sur sable.

Lorsque vous peindrez le ciel, réservez la forme du nuage.

Dans une coupe, mélangez du bleu clair avec un peu de jaune, additionné d'un peu de blanc et peignez le fond. Nettoyez le pinceau.

Prenez la même quantité de jaune et de pourpre, ajoutez un peu de blanc, et peignez le sable par touches horizontales. Avant que la couleur ne sèche, ajoutez une nouvelle couche en travaillant par touches verticales. Vous obtiendrez ainsi un ton uni.

Mes premiers exercices...

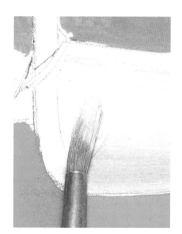

Peignez la mer avec du bleu clair et un peu de vert.

Avec du pourpre, du bleu clair et une bonne quantité de blanc, peignez la partie inférieure de la barque. Nettoyez le pinceau, puis avec du blanc seulement, peignez la partie supérieure de la barque, en insistant sur la zone de raccord entre les deux couleurs.

Avec le gris employé pour la barque, peignez la partie inférieure du nuage.

À l'aide d'un pinceau fin, peignez l'une des lignes de la barque en rouge.

Pour le sable, utilisez un mélange de pourpre, de jaune et de bleu. Ajoutez du jaune au gris de la barque pour l'intérieur.

Mouillez le pinceau et peignez les lignes de la barque avec du vert et du jaune.

Employez du pourpre, du rouge et du jaune pour l'ombre située devant la barque ; ajoutez davantage de bleu à l'intérieur de la barque, du jaune sur les montagnes et quelques touches finales de blanc sur la proue.

Mes premiers exercices...

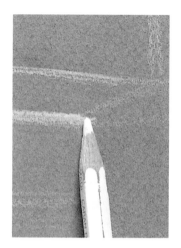

Sur un papier de couleur, le dessin préparatoire doit être exécuté au crayon blanc.

Pour changer, utilisez un papier de couleur : vous choisirez pour cet exercice une feuille de couleur bleue.

Le travail sur papier de couleur offre certains avantages : vous pouvez ainsi choisir une couleur en harmonie avec les teintes dominantes de votre suje une partie du fond pouvant être de la couleur d papier, ce qui vous permettra d'obtenir d'excel lents résultats.

Commencez par les fonds.

Mélangez du bleu clair, du pourpre et un peu de blanc. Travaillez par touches verticales, puis recouvrez et nuancez l'ensemble du fond par touches horizontales.

Ajoutez davantage de vert et un peu de blanc pour le sol. Peignez les buissons avec du bleu clair additionné d'un peu de vert.

Par endroits, laissez apparaître la couleur du papier.

Mes premiers exercices...

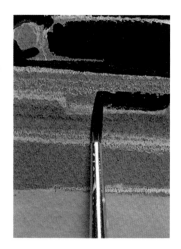

Pour les traces de la partie avant de la voiture, utilisez du noir pur.

Vous appliquerez du noir sur la voiture seulement. Ajoutez un peu de bleu clair pour les ombres. Peignez en noir le contour des vitres et les roues.

Ajoutez suffisamment de blanc pour obtenir un gris clair et peindre le reflet du pare-brise. Ajoutez également du gris sur les roues et du bleu foncé su les buissons pour les assombrir.

Pour les phares, utilisez du jaune avec un peu d blanc ; à l'aide d'un pinceau humide, estompez jaune sur les bords.

Avec beaucoup de blanc et un peu de jaune, sistez sur le centre des phares.

Peignez l'une des bandes de la voiture en rouge l'autre en bleu clair auquel vous aurez ajouté un eu de blanc.

Soulignez les contours avec du bleu et davantage de blanc.

Puis enfin, employez du bleu clair, du rouge et du noir pour foncer le sol.

Mes premiers exercices...

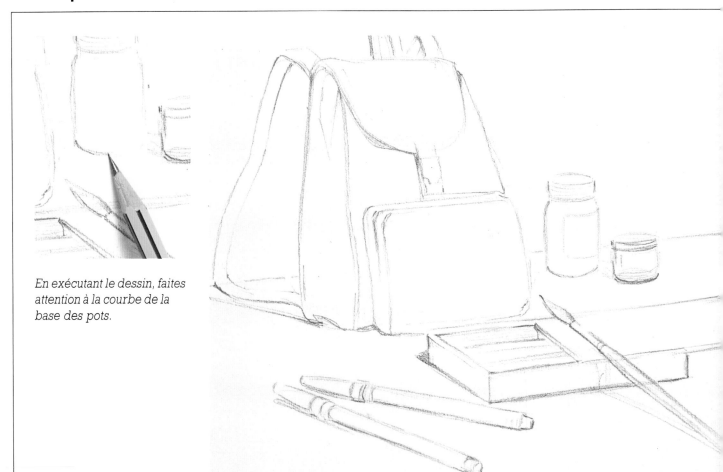

En exécutant le dessin, faites attention à la courbe de la base des pots.

Le thème de cet exercice est une nature morte, constituée d'objets qui appartiennent à votre quotidien.

Cependant, au moment de les dessiner, vous découvrirez certainement que ces objets ne vous sont pas aussi familiers que vous le pensiez. Ne vou découragez pas.

Il est de toute façon préférable d'utiliser ce dess: comme modèle, avant d'essayer de dessine d'après nature.

Commencez par esquisser le dessin puis coloriez
s fonds.

Mélangez du vert clair et du rouge, ajoutez du
lanc et peignez le mur.

Nettoyez le pinceau.

Mélangez ensuite du jaune et du blanc, puis
ajoutez un peu de rouge pour peindre la table.

Vous devez travailler par touches rapides, en
veillant cependant à réserver les objets.

Mes premiers exercices...

*Peignez le cartable,
à l'exception de la poche,
en vert clair additionné
de blanc.*

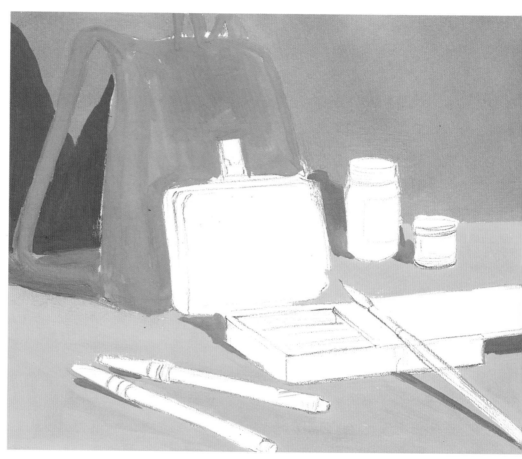

Accentuez ensuite les ombres, en mélangeant du vert foncé avec du pourpre et un peu de jaune.

Pour l'ombre de la table, utilisez du pourpre mélangé avec un peu de vert.

Appliquez à présent une première couche pour faire le fond du cartable, en ajoutant du blanc a vert clair.

Peignez dans une seule et même direction, san vous préoccuper de recouvrir les lignes au crayon

Pour la poche du cartable, employez du pourpr

dditionné d'un peu de blanc ; pour le plumier, du ert, du rouge et du jaune ; pour un des feutres, du ouge assez dilué.

Mélangez ensuite du blanc et du bleu clair pour autre feutre.

Peignez le manche du pinceau en noir et le reste en bleu clair et en blanc. Employez du jaune pur pour un pot et du bleu foncé pour un autre.

Mes premiers exercices...

Travaillez le mur par touches verticales pour estomper la première couleur.

Mélangez du vert foncé et du bleu foncé, puis peignez l'ombre du cartable. Nuancez ensuite le dégradé en ajoutant du blanc.

Ajoutez un peu de rouge au vert clair pour foncer la courroie.

Employez du pourpre additionné d'une pointe de bleu foncé pour les ombres de la poche du cartable.

Sur le mur, utilisez du rouge, du jaune et du vert clair ; sur l'un des pots, de l'ocre et un rehaut sur l'autre.

38

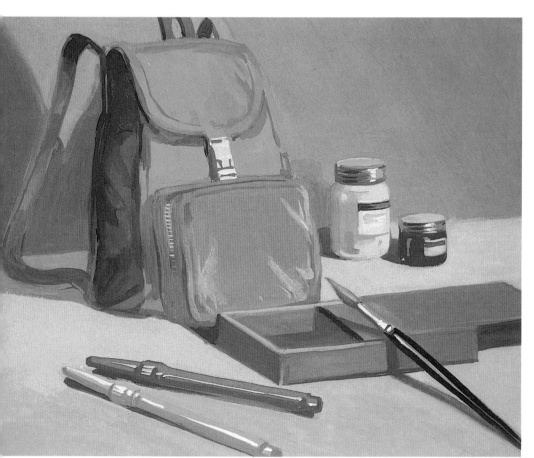

Estompez le dégradé du côté du cartable, en mélangeant du bleu foncé avec un peu de vert foncé. Pour réaliser le dégradé, éclaircissez la couleur en humidifiant le pinceau, puis en le séchant légèrement avec du papier absorbant.

Vous obtiendrez la couleur marron du fond et des faces du plumier en mélangeant du pourpre, du jaune et du vert clair.

Enfin, employez du rouge, du vert et du blanc pour nuancer la table.

Mes premiers exercices...

Employez pour le dessin un crayon HB. Les traits ne sont pas trop marqués et s'effacent progressivement.

Le dernier exercice que nous vous proposons est un paysage, qui vous permettra de mettre en pratique tout ce que vous avez appris.

Exécutez d'abord le dessin en suivant le modèle.

Il s'agit surtout ici de dessiner les contours. Comme vous pouvez le voir, le feuillage des arbres, les troncs, les maisons, etc. se limitent à quelques traits.

Mélangez du bleu clair avec un peu de jaune. Peignez ensuite le ciel par touches horizontales, n prenant garde de ne pas déborder sur le feuil-age des arbres, sur les troncs et les toits des

maisons. En employant une couleur assez épaisse, il vous sera facile d'obtenir un ton uni.

Utilisez du pourpre et du jaune pour le champ au premier plan.

Mes premiers exercices...

Mélangez du rouge, du bleu foncé et un peu de vert clair, puis peignez les troncs avec un pinceau fin.

Employez ensuite un mélange de jaune, de bleu clair et de vert clair pour les façades des maisons. Puis appliquez une première couche sur le feuillage des arbres : du vert clair avec très peu de jaune sur l'un et du vert clair uniquement sur l'autre.

Peignez ensuite les montagnes par touches horzontales, avec un mélange de bleu clair, de ble foncé et une pointe de pourpre.

Employez du blanc pour peindre l'ensemble d nuage, et du bleu additionné d'un peu de blan

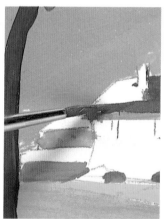

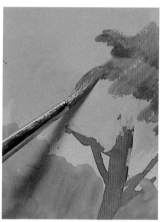

our accentuer les ombres de la partie inférieure u nuage.

Ajoutez du rouge au champ. Puis prenez un peu e jaune et mélangez les deux couleurs par touches apides et décidées.

Foncez le feuillage des arbres avec du vert foncé, surtout sur la partie inférieure.

Réalisez ensuite un dégradé de cette couleur avec du vert clair.

Mes premiers exercices...

Passez le pinceau plusieurs fois au même endroit lorsque vous souhaitez mélanger les couleurs l'une à l'autre.

Continuez à estomper et à dégrader les couleurs.

Pour le champ, utilisez du vert clair, du jaune et un peu de pourpre.

Travaillez les parties les plus foncées du feuillage des arbres. Avec un mélange de vert clair et de vert foncé, passez le pinceau à plusieurs reprises au même endroit pour unir les couleurs.

Employez du vert additionné de jaune pour le contours plus clairs des arbres. Ajoutez du vert clair à la façade de l'une des maisons.

44

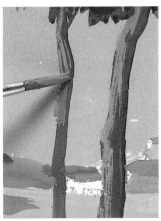

Continuez à travailler sur le feuillage des arbres : vert clair, vert foncé et jaune pour les zones claires ; ajoutez ensuite davantage de jaune puis nuancez les couleurs, sans oublier que la gouache doit demeurer humide.

Pour les arbres du fond, utilisez du vert clair et du jaune. Enfin, ajoutez sur les troncs des traces sombres au pinceau fin.

Glossaire

Aquarelle : technique de peinture dont les couleurs se diluent à l'eau.

Composition : situer tous les éléments du sujet de façon harmonieuse.

Contraster : en peinture, accentuer quelques tons de façon à différencier diverses zones de couleur.

Couleurs chaudes : sur le cercle chromatique, du rouge au jaune clair (ces deux couleurs étant comprises).

Couleurs couvrantes : couleurs épaisses qui recouvrent la première couche de peinture ou les traits au crayon.

Couleurs froides : sur le cercle chromatique, du vert au violet (ces deux couleurs étant comprises).

Couleurs opaques : couleurs épaisses, propres à la technique de la gouache. Elles permettent d'appliquer d'épaisses couches de couleur.

Dégradé : passage progressif d'une tonalité foncée à une tonalité plus claire et inversement.

Esquisse : dessin ou peinture rapide déterminant forme, la composition et la mise en valeur de ombres et lumières.

Harmoniser : situer les couleurs dans l'espace, d sorte qu'aucune ne détonne dans l'ensemble.

Rehaut : zone la plus claire dans un dessin ou un peinture.

Réserver : laisser nues les zones blanches, obtenues par le blanc du papier.

Ton : intensité d'une couleur, du plus clair au plus foncé.